Obra ganadora del «VI Premio Internacional Compostela para álbumes ilustrados».

El jurado estuvo formado por:

María Castelao, María José Ferrada, Emilio Urberuaga, Juana Vázquez,
Xosé Manuel Rodríguez-Abella, Manuela Rodríguez Lorenzo y Beatriz Varela.

A todas las mamás del mundo, en especial a la mía, Sally Johnson.

Muchas gracias a Pedro Campini, Patricio Campini, Eduardo Ruiz,
María Leyro Díaz, Francine Oeyen, Mercedes Claus y Gabriela Burin,
porque sus aportes y su tiempo hicieron crecer a este libro.

Rúa de Pastor Díaz, n.º 1, 4.º A - 36001 Pontevedra
Tel.: 986 860 276
editora@kalandraka.com
www.kalandraka.com

Impreso en Imprenta Mundo, Cambre
Primera edición: octubre, 2013
Tercera edición: diciembre, 2015
ISBN: 978-84-8464-828-4
DL: PO 486-2013

MARIANA RUIZ JOHNSON

MAMÁ

kalandraka

Mamá
es tantas cosas…

Es casa redonda,
mullida y andante.

Es centro feliz,
seguro y *radiante*.

Me trajo a este mundo,
pequeño y desnudo.

Me alimenta siempre
su pecho seguro.

Los pájaros cantan
cuando está contenta.

Y cuando se enoja,
mamá es tormenta.

Teje cantos, cuentos,
castillos de arena,

estrellas y soles,
y la luna llena.

Es igual que un río
si un hijo se pierde.

gracias
P. KLEE

Y cuando lo encuentra,
la selva más verde.

Mamá es la que ahora
me lee estos versos.

Mamá
es tantas cosas...
esconde universos.